Objetivo:
Barcelona

Serie
Aventura joven

Título
Objetivo: Barcelona

Autores
Elvira Sancho y Jordi Surís

Coordinación editorial
Pablo Garrido

Redacción
Roberto Castón

Diseño e ilustración de cubierta
Àngel Viola

Diseño interior
Jasmina Car y Óscar García Ortega

Ilustraciones
Roger Zanni

Material auditivo
Voz:
Xavier Miralles

© 2014 los autores y Difusión, Centro de Investigación y
Publicaciones de Idiomas, S.L.
Reimpresión: mayo 2019
ISBN: 978-84-1605726-9
Depósito Legal: B 8102-2014
Impreso en España por Gómez Aparicio

difusión

Centro de
Investigación y
Publicaciones
de Idiomas, S. L.

C/ Trafalgar, 10, entlo. 1ª
08010 Barcelona - España
Tel.: (+34) 932 680 300
Fax: (+34) 933 103 340
editorial@difusion.com

www.difusion.com

AVENTURA JOVEN

Objetivo: Barcelona

ELVIRA SANCHO
JORDI SURÍS

difusión

PRESENTACIÓN

La serie **Aventura joven** narra las aventuras que vive un grupo de amigos adolescentes: Mónica, Guillermo, Laura, Sergio y Martín. A través de sus historias, los vas a ir conociendo y, al mismo tiempo, vas a descubrir muchos aspectos del mundo hispano.

A lo largo de la lectura de **Objetivo Barcelona**, hay una serie de notas que te van a ayudar a comprender mejor el texto y te van a explicar algunas interesantes cuestiones culturales, referentes a Barcelona.

Recuerda que para entender un texto, no es imprescindible conocer el significado de cada una de las palabras: intenta comprender el texto en su totalidad y disfruta al máximo de la lectura.

Además, tienes a tu diposición la historia grabada por una voz española, actividades para después de la lectura y sus soluciones en **difusion.com/objetivo-barcelona.zip**.

¡Disfruta de la historia!

CAPÍTULO 1

Es sábado 16 de abril. En Barcelona, en el *Camp Nou*, el estadio de fútbol del F.C. Barcelona, se juega un partido muy importante: el clásico *Barça*–Real Madrid, los dos rivales eternos de la liga española de fútbol.

El árbitro, en este momento, pita el final de la primera parte. El Real Madrid gana por 0 a 1, con gol de Cristiano Ronaldo de penalti.

Mónica y sus amigos están viendo el partido. Cuando el árbitro pita el final de la primera parte, Guille y Martín van al bar a buscar refrescos. Martín lleva su bufanda del *Barça*. Sergio y Laura están sentados en la fila de delante de Mónica. Los amigos comentan el partido mientras comen un bocadillo.

—¡Es impresionante este estadio! —dice Mónica mirando los tres pisos de graderías[1] azules y rojas del estadio de fútbol, llenos de gente— ¿Cuánta gente cabe?

—No sé, creo que unos 100.000 espectadores —contesta Laura.

—99.354 —corrige Sergio—. Es el más grande de Europa.

—Es la primera vez que vienes al *Camp Nou*, ¿verdad, Sergio?

—Sí. Siempre veo los partidos en la *tele*. ¿Vosotros venís mucho?

—Martín sí que viene mucho —contesta Mónica—. Sus tíos son socios, pero a su primo no le gusta venir al estadio, y viene él.

—Sí, es verdad, Martín es un hincha[2] del *Barça* —dice Sergio.

Sergio es un chico de 16 años. Es de origen argentino pero ha crecido en Barcelona. Siempre va con una cámara de fotos en la mano. A su lado se sienta Laura. Todos van al mismo instituto[3] y son muy amigos.

1 **graderías:** conjunto de gradas, asientos colectivos en forma de escalón.
2 **hincha:** partidario entusiasta de alguien, en especial de un equipo deportivo.
3 **instituto:** centro educativo en el que se cursan estudios de enseñanza media.

—¿A su primo no le gusta el fútbol? —pregunta Laura.

—No le gustan los lugares con mucha gente. Le dan miedo —responde Mónica.

—¿Miedo? ¿Por qué? ¡Está lleno de policías! —dice Laura señalando la parte baja de las gradas.

Unos *mossos*[4] pasean con su uniforme azul alrededor del campo.

—¡Hola! ¿Quién quiere patatas? —Guille y Martín llegan con los refrescos y con bolsas de patatas.

—Pero Guille, ¡solo somos 5! ¡Traes comida para 20! —exclama Laura.

—¡Y también quería comprar patatas fritas con gusto de jamón...! —añade Martín riendo.

Todos ríen. Guille siempre tiene hambre.

Empieza la segunda parte del partido. La afición[5] está nerviosa.

—Vamos, Guille, siéntate, que empieza la segunda parte —dice Mónica.

Los jugadores ya han saltado al terreno de juego. El árbitro pita el inicio de la segunda parte. Hay mucha tensión entre los aficionados porque el resultado no es bueno.

Un hombre joven se acerca por el pasillo.

—Perdón —dice señalando el asiento al lado de Martín—. ¿Está libre este asiento? Desde donde yo estoy no se ve muy bien.

Mónica está sentada detrás del asiento que el chico señala.

Mira al chico. Debe de tener unos 24 o 25 años. Es alto, delgado, moreno, lleva gafas de sol y va vestido con vaqueros y camiseta negra. "¡Qué guapo!", piensa Mónica.

Martín sigue atentamente el partido.

—Pero árbitro, ¿es que no lo ves? —grita Martín. Pepe, un jugador del Real Madrid, ha hecho una entrada muy dura sobre Neymar, pero el árbitro deja seguir el partido—. ¿Estás ciego?

—Sí, está vacío. Puedes sentarte —le dice Mónica.

---

4 *mossos*: policía autonómica catalana.
5 afición: todos los que apoyan a un determinado club deportivo.

El joven sonríe y se sienta.

—0 a 1 ¿no? —pregunta a Martín.

—Sí —dice Martín preocupado.

—Todavía podemos remontar —dice Guille, que está sentado en la fila de atrás, al lado de Mónica.

El chico se gira y ve a Guille, un chico pelirrojo con la cara redonda que va con el grupo.

—¿Por qué no? Es posible... —dice Guille con esperanza.

—Este es Guille, el optimista —dice Mónica—, y yo soy Mónica —dice sonriendo y se pone un poco colorada[6].

—¿Sois todos amigos? —pregunta el chico.

—Sí —explica Mónica—. Ese de la bufanda es Martín —dice señalando a su amigo. Martín se gira un momento al oír su nombre y vuelve a concentrarse en el partido.

Martín es alto, con el pelo castaño y rizado, y muy atlético. Le gusta el deporte y es un fanático del *Barça*.

—Y aquellos son Laura y Sergio —dice señalando a sus amigos que están sentados al lado de Martín.

Guille mira a Mónica con una sonrisa. No es habitual hacer presentaciones en el campo de fútbol. Pero Mónica piensa que tampoco es habitual conocer a chicos tan guapos, ¿no?

—Yo soy Marco —responde el chico. Y se concentra en el partido.

—¡Vale, Messi! —grita Martín de pie— ¡Chuta!

De repente todos los espectadores se levantan y gritan al mismo tiempo: "¡Goooooooooooool!"

En el campo de fútbol se viven la tensión y la emoción del partido. El juego sigue. Un rato después Marco saca su móvil, lo mira y lo vuelve a guardar en el bolsillo. Luego mira hacia atrás y sonríe a Mónica. Mónica también sonríe.

El partido está muy igualado y la gente anima con fuerza a su equipo. Empiezan a cantar para animar:

6 ponerse colorado/a: ganar color rosado en las mejillas a causa de un sentimiento de vergüenza o similar.

9

Oé, oá,
ser del Barça és
el millor que hi ha.[7]

Cada vez la gente grita más. De vez en cuando los aficionados cantan el himno del *Barça*.

Ahora falta poco para el fin del partido. Marco saca de nuevo su móvil y mira la hora. Es tarde para él, tiene que irse en el momento más emocionante del partido.

Empieza a levantarse, cuando de repente un grito llena el estadio: "¡Gooooooool!"

Alexis ha marcado un gol fantástico. Marco deja el móvil en el asiento y también grita "gooooool", levantando los brazos. Martín, a su lado, salta de alegría y le da un abrazo a Marco gritando "gooooool". Pero Marco tiene prisa y quiere irse.

—Me voy, tengo prisa... —le dice a Mónica.

—¿Sí? Ahora es el momento más emocionante —dice la chica. Está triste. Esperaba salir juntos y hablar un rato—. ¡Qué lástima!

—Ha sido un gran partido —dice el chico despidiéndose.

Cuando el chico se va, de repente el estadio vuelve a gritar: "¡Gooooooool!"

Otro gol de Messi.

—¡3 a 1! —grita Martín.

Cuando el árbitro señala el final del partido, los espectadores se levantan y se felicitan. Están contentos.

Laura se gira y le dice a Mónica:

—Vamos a celebrarlo, ¿vale?

—Vale —contesta Mónica un poco triste.

—¿Y Marco? —pregunta Laura.

—¿Quién es Marco? —pregunta Sergio.

—Estaba sentado aquí —contesta Laura señalando el asiento vacío.

[7] en catalán, "Oé, oá, ser del Barcelona es lo mejor que hay".

Señalando - to point out

—El chico de la gorra —explica Mónica.

—Sí, el de las gafas de sol. Se ha ido. Martín lo ha asustado con sus abrazos —dice Guille bromeando.

—¿Se ha ido? Pues va a ser difícil encontrarlo aquí —dice Laura riendo mientras señala el campo lleno de gente.

Los aficionados han empezado a irse y ahora llenan los pasillos de salida.

—¡Ah! —exclama Guille sonriendo— Tal vez sí podemos encontrarlo.

Las dos chicas se giran y ven a Guille con un móvil en la mano.

—¿Es de Marco? —pregunta Mónica alargando la mano para cogerlo— A ver, déjamelo.

—¡Ahhhh! —Guille aparta la mano y aleja el móvil— Eso te va a costar... —y mira hacia arriba pensando en algo grande.

—Ok, ok, te compro... —dice Mónica sonriendo— una bolsa de patatas gigante con sabor a jamón.

—¿Y qué más...?

Mónica lo mira fijamente con sus ojos oscuros y brillantes.

—Y una Coca–Cola *ligth* —añade.

—¿*Ligth*? —Guille dice que no con la cabeza.

Todos le hacen bromas a Guille porque está un poco gordo.

—Pues ahora no va a poder volver —dice Martin mirando el móvil en la mano de Guille y la enorme cantidad de gente que está saliendo del campo.

—No importa. Vamos ¡Esta victoria hay que celebrarla!

Martín está muy contento.

—Vamos, salgamos rápido o no pillamos[8] ningún bus —insiste Laura.

—Mejor cogemos el metro en las Corts[9] —sugiere Mónica.

8 **pillamos**: del verbo "pillar", forma coloquial para "coger".
9 **las Corts**: distrito del oeste de Barcelona donde se encuentra el *Camp Nou*.

CAPÍTULO 2

En el metro hay mucha gente. Cuando su tren llega, suben y se quedan de pie porque va muy lleno. Con una mano se cogen a la barra para no caerse. Guille saca el móvil del chico de las gafas de sol y la gorra. Guille es muy aficionado a la informática y a la electrónica.

Sergio mira el móvil.

—¿Tienes un móvil nuevo? —pregunta.

—No, es del chico que tenía delante en el partido. Se le ha caído al suelo.

—Ve a información a ver si hay un correo u otro número para llamar.

—Ya he mirado; no hay —responde Guille.

—¿Y en contactos? —sigue preguntando Sergio-

—Tiene la agenda vacía —contesta Guille mirando el móvil—. Solo hay un contacto: CF–B.

—Qué raro, ¿no?

El metro va lleno de aficionados del *Barça*, con sus bufandas de color azul y rojo. Todos comentan el partido y están contentos. Hay un ambiente festivo.

En aquel momento, en el centro de Barcelona, dos hombres caminan por la Rambla. Uno se llama Bel, es alto y moreno con el pelo muy corto. Tiene los brazos tatuados y una voz muy fuerte. El otro es delgado, de edad indefinida. Tiene poco cabello y lo lleva largo. Lleva una bolsa de deporte. Cuando llegan a Canaletas[1], Bel y Danés ven cámaras de televisión y muchos coches de policía.

---

1 Canaletas: es el nombre de la parte más alta de la Rambla, uno de los lugares más populares de la ciudad, donde se celebran las victorias importantes del *Barça*.

—¿Qué pasa? —preguntan a unos hombres que están de pie mirando también.

—Es por el partido de fútbol. Ha ganado el *Barça*. Los aficionados vienen a celebrarlo a Canaletas. Viene mucha gente siempre.

—Vamos a tener que cambiar de planes —le dice Bel a su compañero—. Podemos tomar el autobús cerca de la catedral[2].

—¿En la catedral? ¿Pero no vamos al Tibidabo?

Danés, el hombre delgado de pelo largo, camina dando saltos a su lado. Lleva un jersey grueso verde oscuro y agarra con fuerza su bolsa de deporte también verde.

—Sí, Barrio Gótico, plaza de Cataluña, Sagrada Familia y Tibidabo. —contesta Bel con su voz fuerte—. Me he informado bien. Así conocerás Barcelona. Yo viví en Barcelona de niño. Mis padres me llevaban al Tibidabo[3] y me obligaban a subir a las montañas rusas y a la Atalaya[3]. Yo tengo vértigo, lo odiaba...

El metro ha hecho su parada en la estación de Sants. Algunas personas salen del metro. Sergio y Laura se sientan en unos asientos que han quedado vacíos. Los otros continúan de pie.

Guille sigue investigando en el móvil. En ese momento suena la señal de llegada de un mensaje.

—Tal vez es Marco desde otro móvil —dice Mónica.

Guille lee y pone cara divertida. Lee en voz alta.

—"¿Cómo va Objetivo Barcelona? CF–B."

Martín coge el teléfono.

—¿Cómo va Objetivo Barcelona? —pregunta en voz alta mirando a sus amigos—. ¡El objetivo está superado: 3–1! Ese no ha visto

---

2 **catedral**: iglesia principal de cada ciudad. La catedral gótica de Barcelona está en el Barrio Gótico en el distrito de *Ciutat Vella* (Ciudad Vieja).

3 **Tibidabo**: es el pico más alto de la sierra de Collserola, en el municipio de Barcelona. Es popular por sus vistas sobre la ciudad y por su parque de atracciones.

4 **Atalaya**: imponente construcción metálica de 50 m de altura que eleva a los visitantes hasta situarlos a 551 m sobre el nivel del mar.

el partido —y teclea rápido en el móvil: "Perfecto: ¡3–1! ¡*Barça* campeón!"

Después de unos segundos llega otro mensaje: "No el partido de hoy. ¡EL OBJETIVO!"

Los chicos se miran divertidos. "¿Qué objetivo?", piensan.

Martín vuelve a coger el teléfono.

—Debe de referirse a la liga —le dice a Guille y Mónica. Y teclea: "Todo bajo control. ¡Lo conseguimos seguro!"

—Pero Martín, ¿con quién te comunicas? —pregunta Mónica.

—Deben de ser amigos de ese Marco —responde Guille.

—Pues dame, que les digo que tenemos el teléfono de Marco —dice Mónica alargando la mano.

Antes de que Martín tenga tiempo de pasarle el teléfono a Mónica, llega otro mensaje: "¡Perfecto! Cambio de planes. Quedamos a las ocho en la catedral".

—¡Ja, ja, ja! Nosotros también vamos a celebrarlo —dice Martín y escribe: "Nosotros vamos a Canaletas"

"¿Nosotros?", responde rápidamente otro mensaje.

"¡Los ganadores!", escribe Martín.

"Canaletas no es buen lugar. Hay demasiada gente. Mejor la catedral." Y en otro mensaje: "Solo falta la última prueba, la definitiva."

—¿Qué? —Guille mira el mensaje, sin entender.

—Quiere decir que falta el último partido de la liga —dice Martín mientras contesta: "Quedará K.O. ¡Esto está hecho!"

"Sí, K.O.", responde el otro, "Una pista: SM–S. Pero primero hay que pasar la prueba."

"¿SM–S?", piensa Guille que ha cogido el móvil, "¿Qué es esto?"

—¿Queréis dejar de hacer bobadas? —dice Mónica, seria.

Martín vuelve a coger el móvil. Laura le mira:

—Martín, pero ¿qué haces? —pregunta.

En ese momento, un grupo de hombres jóvenes sentados al otro lado del pasillo empieza a cantar una canción. Hay mucho ruido en el metro.

—Martín se hace pasar[5] por Marco —explica Sergio riendo—. Los amigos de Marco piensan que Martín es Marco.

Llega otro mensaje: "Pronto seremos noticia.", y un emoticono con fuegos artificiales[6].

—¿Pronto? ¡El sábado que viene! —exclama Martín— Solo nos falta una victoria. ¡Este año podemos ganar la liga y la copa[7]!

—Venga, dile ya que tienes el móvil —insiste Mónica.

Casi inmediatamente llega otro mensaje: "A las 8:15 en la catedral, ¿vale?"

—Sí, en la catedral.

—Venga, diles que sí —dice Sergio.

"¡Allí estaré!", teclea Martín riendo.

Mensaje de respuesta: "¡Viva el Club de los Fracasados[8] Cutres[9]!"

—¿El Club de los Fracasados Cutres?— exclama Guille.

—Quiere decir el Real Madrid. Se ríe de ellos. Seguro que son antimadridistas.

—¿Todavía habláis con sus amigos? ¿Y Marco? —pregunta Mónica.

Mónica quiere volver a ver al joven moreno.

—Espera, ahora les he dicho que vamos hacia la catedral —dice Martín tecleando—. Allá nos encontramos todos y cuando vean que no somos Marco, nos echamos unas risas.

—Tal vez después podemos ir todos juntos a Canaletas.

—Pero, ¿qué hacemos? —pregunta Laura— ¿Bajamos en la parada de Liceo para ir a la catedral?

—Sí. Ese que habla debe de ser un amigo de Marco. Le damos el móvil. Él se lo devolverá a Marco —dice Sergio.

---

5 hacerse pasar por alguien: hacer creer a alguien que se es otra persona.

6 fuegos artificiales: artificios de pólvora que producen detonaciones y luces de colores, y que son lanzados con fines de diversión.

7 copa: torneo futbolístico por eliminación directa que se disputa anualmente entre todos los clubes de fútbol de España.

8 fracasado: perdedor, que no ha conseguido nada en la vida.

9 cutre: coloquial, pobre, sucio o de baja calidad.

CAPÍTULO 3

Cuando Marco sale del *Camp Nou*, busca un taxi con la mirada. Cerca hay una parada. Hay muchos taxis parados con la luz verde. Marco va hacia el primero de la fila. Cuando sube al taxi, dice:

—A Canaletas, por favor.

—A celebrar la victoria, ¿no? —dice el taxista que está escuchando el partido por la radio.

No hay mucho tráfico. El taxi va rápido y Marco está tranquilo. Mira el reloj de la radio del taxi. Llegará a la hora, sin retraso.

Cuando llega a la plaza de Cataluña ve furgones de la policía y cámaras de la televisión. Es por el partido de fútbol. Después de los partidos importantes, los aficionados se reúnen en Canaletas.

Todavía no hay mucha gente en la calle. Llega hasta la fuente y busca con la mirada entre la gente. No ve a sus colegas. Decide mirar la hora y llamarlos.

Busca en el bolsillo de su pantalón pero el móvil no está. Busca en los otros bolsillos. El móvil no está en ninguno.

¿Qué ha pasado con su móvil? ¿Dónde lo ha perdido? ¿O se lo han robado?

Piensa que si lo ha perdido, alguien puede haberlo recogido. Va hasta una cabina telefónica y marca su número.

Los chicos bajan del metro en Liceo, que está en las Ramblas y se dirigen hacia la catedral. Las Ramblas hoy están llenas de gente.

Pasan por la plaza del Pi donde varios artistas exponen y venden sus obras en la calle. Las terrazas de los bares están llenas de gente.

El móvil suena.

—Hola, me llamo Marco...

—¡Es Marco! —dice Guille— Hola, Marco.

—He perdido mi móvil... —dice Marco.

—Sí, lo sé. Lo tenemos nosotros —responde Guille.

—¡Oye! —le dice Laura a Mónica— Es Marco.

—Ya —dice la chica contenta.

—¿Quiénes sois? —pregunta Marco desde el otro lado.

—Somos los chicos del fútbol. Se te ha caído el móvil y lo hemos recogido —responde Guille.

—Ah, ¡qué bien! ¿Dónde estáis ahora?

—Vamos a la catedral —dice Guille—. Unos amigos tuyos te han enviado un mensaje. Han quedado contigo allí, a las 8 y...

—¿En la catedral? ¿Estás seguro?

—Sí, sí, dicen que en Canaletas hay mucha gente y...

—¿Tú quién eres? —interrumpe Marco.

—Soy Guille, el chico pelirrojo...

—Ah, sí, ya me acuerdo —Marco se queda unos segundos en silencio. Está pensando.

—¿Marco?

—Sí, sí, perdona. Hazme un favor, Guille, ¿puedes dejar el móvil en el bar Estruch? Yo pasare a recogerlo después. Ahora no puedo...

—De acuerdo, ¿cómo has dicho que se llama el bar?

—Estruch. Está justo delante de la catedral, tiene una terraza con mesas y sillas. Allí me conocen.

Cuando Marco cuelga tiene una duda. Puede ir directamente a la catedral, recuperar su móvil en el Estruch, ver si están sus colegas y no decirles nada del teléfono.

No. Esta no es buena idea. Lo mejor es reconocer que ha perdido el móvil. Seguramente ellos ya lo saben. Recuerda el número de móvil de Bel. Ha hecho bien en memorizarlo.

Ahora Bel y Danés van por la calle de la Canuda. Han pasado la plaza Villa de Madrid y están llegando a Portal del Ángel. Pronto estarán en la catedral[1].

---

1 Lugares del Barrio Gótico de Barcelona, uno de los más antiguos y hermosos.

Bel está enfadado. Marco ha perdido su móvil y alguien ha estado jugando con ellos. Marco le acaba de llamar.

Danés saca un pañuelo sucio de su bolsillo y se suena.

—¿Sabes, Bel? —dice después—. Aquí lo tengo todo —y señala su bolsa de deporte con orgullo.

—Muy bien, Danés, muy bien —contesta su compañero. Pero todavía está muy enfadado—. Una cosa es ser un candidato a Fracasado Cutre y otra ser idiota —dice.

—Pero... ¿estás seguro, Bel? —pregunta Danés.

—¿De qué?

—Es que... ese Marco. ¿No crees que es demasiado pronto? Apenas lo conocemos.

—Yo sí —dice Bel sonriendo—. He estado investigando: Marco es de la policía secreta.

—¿De la policía secreta? —pregunta Danés asustado—. Pero ¿qué dices?

—Sí —contesta Bel bajando la voz—. Sabe que preparamos algo importante, pero no cuándo ni dónde. No sabe que es hoy, en el Tibidabo.

—Pero si es policía...

—No te preocupes, Danés. Nuestro plan funcionará —Bel señala la bolsa que Danés lleva en la mano. Este sonríe—. Se cree muy listo pero veremos quién ríe el último —y vuelve a sonreír.

Los chicos han llegado a la catedral. La plaza de la Catedral es mucho más grande que las otras plazas del barrio gótico. A esa hora está llena de gente: turistas que hacen fotos, gente que pasea y músicos que tocan la guitarra y cantan. La gran fachada neogótica de la puerta principal se alza ante ellos. Las escaleras delante de la iglesia están llenas de gente.

Delante de la catedral, en la plaza, hay varios bares con terrazas. Buscan el bar Estruch y dejan el móvil a un camarero que está detrás de la barra.

—¿Y ahora, qué hacemos? —pregunta Laura.

—Vamos a Canaletas, a celebrar la victoria del *Barça* —propone Sergio.

—No —dice Mónica—, esperamos un poco. Vamos a ver si vemos a los amigos de Marco...

—Pero no los vamos a reconocer...

—Bueno... Es que es raro —comenta Mónica—. Sus amigos quedan con Marco en la catedral y después él dice que no puede pasar por la catedral... ¿No es un poco extraño?

Un bus que hace el recorrido turístico por Barcelona ha aparcado cerca de la catedral. Un grupo de turistas ha bajado del autobús.

—¿Adónde va este autobús? —pregunta Guille.

—No lo sé —contesta Sergio—. Creo que hacen una parada de 10 minutos en algunos lugares turísticos de Barcelona.

Un grupo de turistas pasa cerca de ellos. Guille se acerca a uno de los turistas.

—Perdón, ¿adónde va este autobús?—pregunta Guille.

—*Sorry...* ¿Cómo dice? —responde una señora mayor con acento americano.

—Este bus —dice señalando el autobús— ¿*where...* dónde va?

—*Oh, yes,* sí, Sagrada Familia[2] *and* Tibidabo —contesta la mujer.

—*Thank you* —dice Guille—. Muchas gracias.

De repente Mónica ve pasar a lo lejos a tres hombres, dos jóvenes y uno de edad indefinida con una bolsa de deporte en la mano. ¡Y uno de ellos es Marco!

Los tres hombres se dirigen al bus turístico y suben.

—¡Eh, chicos! ¿Por qué no subimos al bus turístico y vamos al Tibidabo? ¡Será divertido! —propone Mónica.

—El bus turístico es caro —dice Sergio.

—¡Eh! ¡Y tenemos que celebrar el triunfo del *Barça*! —exclama Martín.

---

2 **Sagrada Familia:** iglesia diseñada por el arquitecto Antoni Gaudí. Iniciada en 1882, todavía está en construcción (marzo de 2014). Es la obra maestra de Gaudí y el máximo exponente de la arquitectura modernista catalana.

—Yo tengo billetes gratis para el bus —dice Guille buscando en su mochila.

—¿Tienes billetes gratis para el bus turístico? —pregunta Mónica extrañada.

—Es que mi madre tiene una amiga que...

—¡Eh! —dice Laura mirando a Mónica con una sonrisa— Yo también he visto a Marco que subía al bus. Chicos, vamos al Tibidabo, ¡decidido! Martín, celebramos el triunfo del *Barça* allá.

—Pero las atracciones³ son caras. Además, ¿cómo volvemos? —pregunta Martín.

—No hay problema —explica Guille que está excitado con la perspectiva de ir al parque de atracciones—. Hay buses de vuelta cada media hora.

—Podemos ver Barcelona de noche y volver. No tenemos que subir a las atracciones —dice Mónica.

A partir del mes de abril, los sábados por la noche el parque de atracciones del Tibidabo está abierto.

Lentamente va anocheciendo en Barcelona. Las farolas ya están encendidas y mucha gente pasea por la calle. Se ven grupos de jóvenes riendo o cantando y muchos coches tocan el claxon.

—Sí, y también podemos comprar un bocadillo allá y lo comemos —dice Guille.

—¡Guille! —dice Mónica.

—Estoy de acuerdo —dice Laura.

—Voy a llamar a mis padres —dice Guille—. Es que si llego tarde sin avisar...

Después de hablar con sus padres, Guille no guarda el móvil. Empieza a buscar en internet. Siente curiosidad por saber quiénes son Marco y sus amigos.

—Venga, Guille —dice Mónica arrastrándolo hasta el autobús.

---

3 **atracciones:** cada una de las instalaciones recreativas, como los carruseles, casetas de tiro al blanco, montañas rusas, etc., que, reunidas en un lugar estable, constituyen un parque de atracciones.

Es un autobús rojo descubierto[4] de dos niveles. Marco y sus amigos han subido al piso de arriba.

—Nos quedamos abajo —dice Mónica.

—¿Por qué? —pregunta Martín— Marco ha subido arriba.

—Te da corte[5]... —dice Laura.

—No, es que... —Mónica se pone colorada— hace frío arriba, ¿no?

CAPÍTULO 4

El autobús se pone en marcha con dirección hacia la Sagrada Familia. En el piso de arriba Bel, Danés y Marco se han sentado en el primer asiento. No hay mucha gente. La voz de un guía habla por el micrófono sobre Barcelona, sus calles y sus monumentos.

—¿Adónde vamos? —pregunta Marco.

—Vamos a preparar tu ingreso en el Club de Fracasados Cutres. ¿Estás contento?

—Sí, sí, lo que más quiero en la vida es entrar en ese club —dice Marco con entusiasmo.

Los chicos están en el piso de abajo.

—Es la primera vez que subo al bus turístico —comenta Sergio que ya ha sacado su cámara y está abriendo la ventanilla para sacar fotos.

—Y yo —dice Martín.

—Yo lo cojo a veces cuando vienen amigos extranjeros de mis padres —responde Mónica.

—Voy a sacar unas fotos fantásticas —dice Sergio contento.

Guille sigue concentrado en su móvil.

—¿Y no me podéis decir adónde vamos? —pregunta Marco.

Desde el piso de arriba se pueden ver muy bien las calles y monumentos que la voz del guía explica. Pero ni Marco ni sus colegas las miran.

—Sí, vamos al Tibidabo —responde Bel.

—Está bien el Tibidabo —dice Marco—. Podemos subir a las atracciones.

—Vamos al túnel del terror. Esa será tu prueba —añade Bel.

—¿El túnel del terror? ¡Ah!, eso está muy bien. ¡Sí! El túnel del terror... Y... después del Tibidabo, ¿adónde vamos?

—¿Tienes miedo? —pregunta Bel, mirándole a los ojos.

—Yo, ¿miedo yo? —Marcos sonríe—. ¡Claro que no!

Danés sigue con atención la conversación, sujetando con fuerza su bolsa de deporte.

—Si superas la prueba de hoy —dice Bel—, te aceptaremos en el club. Y pronto haremos algo grande.

—¡Guuau! ¡Qué bien! —dice Marco contento— ¡Así lo espero!

Cuando llegan a la Sagrada Familia el autobús para delante de la fachada de la Pasión, la fachada moderna[1].

—¿Bajamos? —pregunta Sergio.

—Nooo... espera —contesta Mónica—. Vamos a ver si bajan ellos.

Hay una parada de 10 minutos para hacer fotos de la Sagrada Familia. Ahora ya es de noche y la iglesia está iluminada.

—Yo bajo —dice Martín.

Mónica mira a la gente que baja del piso de arriba. Los últimos en bajar son Marco y sus amigos.

—Voy a hacer unas fotos —dice Marco a sus compañeros cuando salen a la calle.

Bel y Danés, que lleva siempre la bolsa de viaje en la mano, miran la Sagrada Familia.

—¿Tú qué crees, Danés? —pregunta Bel—. Al tío[2] que ha hecho esto —señala las esculturas de la fachada—, ¿lo aceptamos como miembro del club?

—Sí, debe de estar pirado[3] —contesta Danés.

—Aceptado, pues, ja, ja, ja... —ríe Bel.

1 La Sagrada Familia tiene una fachada (parte exterior de un edificio) antigua de estilo modernista y recargado, diseñada por Gaudí; y una fachada moderna de estilo más sobrio, ideada por José María Subirach, al morir Gaudí.

2 tío: coloquial, hombre, chico.

3 pirado: coloquial, loco.

Marco ha sacado su móvil. Parece que está haciendo fotos de la fachada de la Sagrada Familia, pero en realidad está mandando un mensaje: "Vamos al Tibidabo mismo bus. Temo algo. Mantened vigilancia discreta."

Cuando ha enviado el mensaje, lo borra de su móvil. De repente choca[4] con alguien a sus espaldas. Se vuelve asustado. Es Guille, que también está mirando su móvil. Mónica también está cerca. Guille se asusta[5] al reconocer a Marco.

—Perdón, perdón... —dice.

Mónica se acerca.

—Pero, Guille, ¿qué te pasa? —pregunta extrañada.

—¿A mí? Nada, nada... —y Guille se aleja caminando deprisa.

—¡Ah, hola! Eres tú —dice Marco al ver a la chica—. ¡Qué casualidad!

—Sí, qué casualidad —responde Mónica—. ¿Qué haces aquí?

—Estoy en el autobús turístico, con unos conocidos —dice Marco—, y ahora estoy sacando unas fotos de esta fachada aunque me gusta más la otra, la antigua. ¿Y tú?

—Yo también estoy con mis amigos. Vamos al Tibidabo...

—¿Qué le pasa a tu amigo? —pregunta Marco—. Se ha asustado al verme.

—No lo sé, está todo el rato con el móvil.

—Eh, el autobús se va... —avisa Sergio.

Bel espera para subir al bus. Ve que Marco habla con una chica y un chico.

---

4 **chocar**: dar violentamente una cosa o persona con otra.
5 **asustarse**: sentir miedo.

CAPÍTULO 5

El autobús hace un largo recorrido montaña arriba antes de llegar al Tibidabo. En el Tibidabo hay un templo. Desde allí se ve toda Barcelona y a su lado hay un parque de atracciones muy antiguo.

—¿Qué te pasa, Guille? —pregunta Mónica. Guille todavía está con el móvil en la mano. Parece asustado.

—¿Recuerdas los mensajes del móvil de Marco? —pregunta Guille a su amiga.

—No, no los he visto —responde Mónica—. ¿Qué pasa con los mensajes?

—Hablan de SM–S —explica Guille—. Son las iniciales de una persona muy importante.

—Seguro que es una metáfora[1], para decir que ganar la liga es "muy importante" —dice Martín que está sentado delante de él.

—También hablan del Club de los Fracasados Cutres.

—Seguro que se refiere al Real Madrid —dice Martín—. Ya te lo he dicho. Es una broma.

—¿Por qué? —le pregunta Mónica a Guille—. ¿Qué pasa?

—He buscado el Club de los Fracasados Cutres. Hay un grupo que se llama así. Se reúnen de vez en cuando. Parece un grupo peligroso. Hablan del "Objetivo Barcelona". También hay un enlace a una web donde se da información de una persona muy importante en el mundo de las finanzas, usando las iniciales SM–S. Por lo que dicen, parece que planean un asesinato...

—Están hablando de fútbol, Guille —insiste Martín—. ¿Cómo van a hablar de asesinar a alguien en internet? Es cosa de locos.

---

1 metáfora: usar una palabra o frase por otra, estableciendo entre ellas un símil.

—Es que parece un club de locos. Las conversaciones entre ellos dan miedo.

—Seguro que es gente que habla mucho pero no hace nada —dice Mónica.

—¡También hablan del Tibidabo!

—Mira, Guille —dice Mónica—. ¿Tú crees que Marco va a asesinar a alguien en el Tibidabo? ¿Tú le ves cara de criminal?

—No sé... —contesta Guille pensativo—. Un criminal puede tener cualquier cara, ¿no?

Cuando llegan al Tibidabo todos bajan del autobús. La vista de Barcelona de noche desde allí es impresionante. Se ve toda la ciudad iluminada, y se pueden distinguir la Sagrada Familia, la torre Agbar[2] y las dos torres del Puerto Olímpico.

—¿Vamos a comprar un bocadillo?—pregunta Martín.

Guille no contesta. Tiene miedo. Mira con disimulo hacia Marco y sus compañeros que han bajado del autobús.

Delante de él está el parque de atracciones, a su derecha está Barcelona y a la izquierda el templo del Tibidabo, con la estatua del Sagrado Corazón con los brazos abiertos hacia la ciudad. A mano derecha, antes de la entrada al parque de atracciones hay un restaurante.

Marco, Bel y Danés se dirigen a la puerta del parque de atracciones.

Los chicos se dirigen al restaurante. Guille está todavía mirando a Marco y sus compañeros. Está asustado. De repente siente que alguien le toca la espalda. Guille da un salto del susto.

—¡Sorpresa! —grita una voz a su espalda.

—¡Mamá! —exclama Guille—. ¿Qué haces aquí?

—Hola, Guille —dice su padre acercándose.

—Es que hemos pensado que no tenéis dinero para subir a las atracciones —dice su madre sonriendo.

---

2 torre Agbar: es un rascacielos cerca de la plaza de las Glorias, diseñado por el arquitecto Jean Nouvel. Por la noche se ilumina de diferentes colores.

—¡Hola! —Mónica y Laura se acercan a Guille y sus padres.
—¡Qué sorpresa! —dice Mónica.
—Mis padres nos invitan a las atracciones —explica Guille.
—Sí, ¡qué divertido! —grita la madre de Guille.
Guille suspira. Está acostumbrado a sus padres y a sus sorpresas.
Mónica se alegra. ¡Seguramente se encontrará con Marco!
Sergio y Martín también se han acercado al grupo.
—He traído bocadillos para todos —sigue la madre de Guille—.
Guille, y un jersey para ti. De noche hace frío.
—¡Mamá! —exclama Guille suspirando otra vez. Pero no quiere
discutir y se pone el jersey.

En ese momento un coche está aparcando en el parking del
parque de atracciones del Tibidabo. Es un BMW de último modelo.
El chófer baja y abre la puerta de atrás. Un hombre de unos 50
años, algo gordo, que lleva gafas, baja del coche. Le dice algo al
chofer. Luego se dirige solo a la entrada del parque de atracciones.
Se siente un poco extraño en aquel lugar, pero sonríe. Se siente
como un niño que hace una travesura³. Ahí seguro que nadie le
conoce.

---

3 travesura: acción con la que se causa algún daño o perjuicio de poca importancia
y que realiza alguien, generalmente un niño, por diversión o juego.

CAPÍTULO 6

Bel, Danés y Marco ya han entrado al parque de atracciones. Se mueven entre la gente que ha ido a disfrutar de las montañas rusas y las demás atracciones.

—Venid —dice Bel. Han llegado al lado de las montañas rusas. En ese momento hay una cola de gente esperando para subir—. Sentémonos aquí. Marco —Bel habla ahora solemnemente—, ha llegado tu hora, el momento de la verdad. La prueba definitiva. Si la pasas, entras en el club.

—Sí, sí —exclama Danés moviéndose nervioso—. Si la pasas, te aceptamos.

—Marco, nosotros nos vamos —continúa Bel— a preparar tu prueba. Volvemos en diez minutos. No te muevas de aquí.

—De acuerdo, Bel —dice Marco—. No me moveré.

—¡Vamos, Danés! Hasta ahora, Marco.

—Hasta ahora —dice Danés.

—¡Ah! Danés, deja la bolsa. Marco la guardará.

—¿Sí? —Danés duda un momento—. Es que...

—Sí, tú se la guardas, ¿verdad, Marco?

—Eh... Esto, sí, sí, claro. Sí, no hay problema...

Marco está preocupado, pero intenta disimular[1].

Bel y Danés empiezan a caminar entre la gente. Están buscando un lugar apartado y solitario.

Finalmente llegan a una pequeña terraza apartada de la gente.

—Aquí, aquí es un buen lugar —dice Bel—. Es un buen lugar, sin gente. Aquí nadie nos verá.

---

1 disimular: encubrir un pensamiento, sentimiento, intención, etc. Fingir.

Miran a su alrededor. A lo lejos, entre la gente, ven a Marco sentado con la bolsa verde a su lado, con las montañas rusas detrás. Ahora un chico y una chica están hablando con él.

—Estos chicos... ¿no estaban en el autobús? —pregunta Danés.

—Sí... —Bel se queda un momento en silencio—. Quizás son amigos suyos. Bueno, no importa... Si vamos a ese rincón —Bel señala un rincón apartado—, nadie nos verá.

Luego ríe de una manera muy desagradable.

Bel saca su móvil. Su móvil puede grabar vídeos de buena calidad. Mira a través de él. Se puede ver a Marco con los chicos, las montañas rusas detrás de ellos y la gente pasando a su alrededor.

—¿Te preparas? —Bel mira a su compañero— Aquí nadie nos ve.

—¿Cuánto crees que nos darán por este vídeo? —pregunta Danés.

—Seguro que un buen montón de dinero —ríe Bel.

Danés empieza a buscar debajo de su grueso jersey verde, saca un lápiz pinta labios y maquillaje. Después saca una peluca[2] pelirroja.

---

2 **peluca:** cabellera o melena postiza, pelo falso, que sirve para disfrazarse.

CAPÍTULO 7

Una chica joven, morena, muy guapa con un elegante abrigo blanco, entra en el recinto del parque de atracciones. Está impaciente. Mira a su alrededor y empieza andar.

El hombre grueso del BMW se ha sentado en la terraza de un bar. Mira la hora en su reloj. Pide una bebida al camarero. Una mujer pelirroja se acerca a hablarle.
Parece que él no entiende nada. La mujer gesticula. El hombre mira con desconfianza a su alrededor. La mujer parece que repite un nombre. Finalmente el hombre se levanta y sigue a la mujer.

Cuando Bel y Danés se van, Marco mira cómo se alejan. Está preocupado. Hay algo en el tono de voz de Bel que le preocupa. Y Danés, ¿por qué no quería separarse de la bolsa?
Está pensando. Un hombre grueso de unos cincuenta años pasa delante de él.
¿Quién es ese hombre?, se pregunta. Le recuerda a alguien.
Finalmente decide abrir la bolsa. Tiene una intuición[1]. La bolsa pesa bastante. Cuando va a abrirla, ve que está cerrada con un candado[2].
—¡Vaya! —exclama. Pero su experiencia como policía ahora le es útil. Saca un clip de su bolsillo y metiendo la punta en el candado lo abre.

---

1 intuición: percepción clara e inmediata de una idea o situación, sin necesidad de razonamiento lógico.
2 candado: cerradura suelta contenida en una caja de metal, que por medio de armellas asegura puertas, ventanas, tapas de cofres, maletas, etc.

Dentro de la bolsa... ¡hay una pistola y un cuchillo! Y documentos y fotos. Empieza a mirarlos. Entre estos documentos está su foto y un plan detallado, supuestamente escrito por él, para asesinar a ¡Sebastian Mahler–Smidt! Y una foto de este.

De repente se da cuenta. Ahora se acuerda de quién es el hombre gordo que ha pasado delante de él.

Vuelve a poner los papeles en el interior de la bolsa y ve que en ella hay también una peluca pelirroja de mujer. Marco la mira sin entender.

Mira a su alrededor. No ve ni a Bel ni a Danés. Vuelve a cerrar la bolsa. Luego coge su móvil y llama a la central de policía. Habla con su jefe.

Cuando los chicos entran en el parque de atracciones con los padres de Guille, todas las atracciones funcionan y están llenas de gente.

—¡Qué divertido! —exclama la madre de Guille.

—¿Vamos a las montañas rusas? —propone Martín.

—Sí, vamos... —exclama Laura entusiasmada.

Mónica mira a su alrededor. Pero no ve a Marco ni a sus amigos. Guille está a su lado.

—Yo no voy a subir a las montañas rusas —dice el chico—. Voy a buscar a Marco...

—¿A Marco? —pregunta Mónica sorprendida.

—Sí, quizá él no sabe lo del asesinato.

—¡Pero, Guille! ¿Qué asesinato? —responde Mónica.

—¡Mónica, Guille! ¿Subís a las montañas rusas? —pregunta Laura.

—No, yo no subo —contesta Mónica.

—Yo tampoco —dice Guille—. Voy a dar una vuelta con Mónica.

Cuando Marco se guarda el móvil, ve que un chico y una chica se acercan a él.

—¡Hola! —exclama Marco sorprendido.

—Hola —dice Mónica—. Otra vez nos encontramos.

—Hola, Marco —dice Guille preocupado—. Tengo que hablar contigo.

—¿Qué pasa?

—Marco, yo no sé si tú eres un criminal o no.

Mónica se pone colorada. Tiene ganas de pegar a su amigo, pero no dice nada.

Guille sigue:

—He estado buscando en internet. El Club de los Fracasados Cutres es un grupo muy peligroso. Creo que quieren asesinar a un financiero alemán muy importante...

—Guille a veces es un poco fantasioso... —interrumpe Mónica—. Él piensa siempre que...

—No, Mónica —interrumpe ahora Marco muy serio—. Guille tiene razón. Es un chico muy listo. Yo soy policía. Estamos investigando a este grupo. Ya he avisado a mis compañeros. Ahora vosotros tenéis que salir de aquí inmediatamente y volver a casa. Avisad a vuestros amigos. ¡Rápido!

Mónica y Guille salen corriendo.

—Vamos a buscar a los otros —dice Mónica.

Pero sus compañeros están en las montañas rusas.

Deciden esperar.

CAPÍTULO 8

El hombre grueso sigue a la mujer pelirroja hasta una terraza apartada y solitaria. No hay nadie en este lugar.

Bel está en una esquina, con su móvil grabando en video al hombre grueso del BMW y a la mujer pelirroja.

Al llegar a una esquina, la mujer se para y hace un gesto al hombre, que mira con desconfianza a su alrededor.

De repente, la mujer saca una navaja de su bolsillo y levanta la mano para atacar al hombre.

—¡Dale, dale! —dice Bel acercándose para grabar la escena.

El hombre mira a la mujer, asustado. Quiere gritar, pero no puede.

Ve como la mujer va a clavarle la navaja.

—¡Alto, policía! —se oye un grito a su espalda—. Marco los apunta con una pistola.

La mujer mira hacia donde ha oído el grito.

—¡Mierda! —exclama Bel—. ¡Corre, Danés, corre! —grita.

Danés baja la mano y se pone a correr detrás de Bel.

Saltan una barandilla y llegan a un paseo que está lleno de gente. Corren entre la gente. Danes se quita la peluca y la tira al suelo.

Marco empieza a correr. Bel y Danés le llevan ventaja.

El hombre grueso empieza a correr también. Cruza el parque de atracciones y sale rápidamente por la puerta.

En aquel momento están empezando a llegar algunos coches de la policía.

El hombre llega al BMW y entra. El coche desaparece rápidamente por la carretera.

La mujer morena del abrigo blanco ha llegado a la terraza del bar del parque. Busca con la mirada a su alrededor. Mira su reloj. Se sienta en una mesa y decide esperar.

El recorrido de las montañas rusas está a punto de terminar. Mónica y Guille están esperando a sus amigos y a los padres de Guille delante de las montañas rusas.

—¡Venga, venga! —dice Guille, impaciente—. ¿Cuánto tiempo tarda la vuelta en las montañas rusas? Parece que no termina nunca.

—No lo sé... —dice Mónica tratando de localizar a sus amigos.

—Mira, Mónica —grita Guille—. Por aquí vienen los amigos de Marco.

—¡No son sus amigos! —corrige Mónica—. ¿Nos han visto?

—Sí. ¡Vamos, corre!

Guille y Mónica empiezan a correr. Bel y Danés también corren en la misma dirección.

—¿Los ves? —pregunta Mónica mirando hacia atrás.

—No, no los veo.

—Entremos aquí, rápido —dice Guille señalando la puerta de un edificio delante de los autos de choque.

—El grupo ya ha entrado —les dice el empleado de la puerta.

—No importa —dice Mónica—. Venga, Guille, rápido, ¡vamos!

CAPÍTULO 9

Algunos policías han entrado en el recinto del parque de atracciones. Bel y Danés siguen corriendo. De repente ven que dos policías van hacia ellos. Se paran. Ven que Guille y Mónica también corren, delante de ellos. Empiezan a corren en la misma dirección. Bel y Danés ven que Mónica y Guille entran en el Hotel Krüeger.

—¡Por aquí! —dice Bel viendo una puerta cerrada en el edificio. En la puerta hay un cartel que dice: "No pasar". Empujan. No está cerrada con llave.

Entran en una habitación donde hay ropas colgadas de unas perchas[1]. Pero no son vestidos normales. Camisas manchadas de sangre, vestidos negros con esqueletos[2] dibujados...

Y en un rincón, muchos objetos de plástico: palas[3], sierras[4], cuchillos, un hacha[5]...

—¿Sois nuevos? —les pregunta una mujer que está sentada en una silla cosiendo un traje manchado de sangre.

—Eh, ¿cómo? ¿Nuevos? Sí, sí, eso, somos nuevos —dice Bel mirando a Danés—. Danés, yo no me voy del Tibidabo sin liarla[6]. Tengo una idea...

Bel y Danés empiezan a disfrazarse.

---

1 **percha:** soporte de forma triangular y con un gancho en su parte superior que se utiliza para colgar ropa.
2 **esqueleto:** conjunto de huesos que da consistencia al cuerpo de los animales y de los seres humanos.
3 **pala:** herramienta que sirve para cavar la tierra.
4 **sierra:** herramienta que sirve para cortar de modo recto madera, hierro...
5 **hacha:** herramienta que sirve para cortar la madera que se usa en hogueras.
6 **liarla:** causar problemas.

Mónica y Guille ven una puerta grande de madera delante de ellos. La abren y entran. Está todo oscuro. A lo lejos se oye una risa horrible...

—¡Aaah! —grita Guille. Hay un fantasma en un rincón de una habitación.

—Son solo actores —lo tranquiliza Mónica.

—Mónica, ¿dónde estamos?

—Estamos en el Hotel Krüeger.

—¿En el pasaje del terror? —pregunta Guille.

—Sí.

Delante de ellos hay otra puerta. Cuando entran en la habitación, el monstruo de Frankestein viene a recibirlos.

Los chicos salen corriendo de la habitación. Van pasando de una habitación a otra y en todas encuentran un monstruo o un asesino que les espera: Hannibal, Chucky...

Finalmente llegan a un espacio más iluminado. Parecen celdas[7]. Un zombi con una pala de plástico sale gritando y les pasa muy cerca, pero sin tocarlos.

—¡Aaah! —gritan Mónica y Guille al mismo tiempo, asustados.

Los chicos avanzan cada vez más rápido. De repente, se enciende una luz a su derecha y la niña del exorcista se levanta de una cama y empieza a gritar.

A lo lejos se oyen los gritos de otras personas. Seguramente son otros visitantes.

—Mónica, ¿cuándo se termina el pasillo?

—No lo sé, Guille, no lo sé.

Vuelven a entrar en un túnel oscuro. De repente, Scream con su capa negra da un salto y se pone justo detrás de los chicos. Detrás, Freddy Krüeger con su mano metálica, los sigue a distancia.

Scream coge a Mónica por el cuello. Guille los mira sorprendido. ¿Es parte de la atracción?

Scream saca la navaja de su bolsillo.

---

7 **celda**: prisión, cárcel, lugar donde se encierra a los criminales.

—Espera un momento, Danés —los chicos oyen que alguien grita detrás de ellos. Freddy Krüeger está ahora muy cerca de ellos con un móvil en la mano— que preparo el móvil.

—¡Son los amigos de Marco! —grita Guille asustado.

—¡No son sus amigos! —dice Mónica casi sin voz, agarrando los brazos de la Scream con fuerza—. ¡Suéltame!

—¡Ahora! —grita Freddy Krüeger empezando a grabar.

Scream levanta la cabeza de Mónica y le acerca la navaja al cuello.

—¡No te muevas! —le grita.

Freddy Krüeger va grabando la escena con su móvil.

—¡Ahora! ¡Venga! —grita Freddy.

Guille se da la vuelta y le pega un puñetazo[8] a Scream . Este cae al suelo. Los chicos empiezan a correr.

Freddy Krüeger empieza a correr detrás de ellos, pero tropieza[9] con Scream y cae al suelo. Al caer se clava la mano metálica en el pecho.

—¡Aaah! —grita. Ahora Freddy Krüeger es otra vez Bel.

Mientras tanto Martín, Sergio, Laura y los padres de Guille bajan de las montañas rusas.

—¡Qué divertido! —exclama la madre de Guille—. Estas atracciones son mucho mejor que las de antes. ¡La vista es impresionante!

—¿Vamos hacia allá? —dice Martín señalando hacia los autos de choque que están delante del Hotel Krüeger.

—Sí. ¿Dónde están Mónica y Guille? —pregunta la madre de Guille. ¿Por qué no han subido?

—¿Qué pasa allí? —pregunta Sergio—. Hay policía...

—Es la salida del Hotel Krüeger —dice Martín.

---

8 puñetazo: golpe dado con la mano cerrada.

9 tropezar: dar con los pies en algún obstáculo, perdiendo el equilibrio.

CAPÍTULO 10

En la puerta del Hotel Krüeger hay varios agentes de policía.

—Mira, se llevan a Scream —dice el padre de Guille.

—¡No! —exclama Laura— ¡Qué fuerte![1]

—Y aquel, ¿no es Marco? —Martín señala a un hombre que sale del pasaje del terror.

—¿Quién es Marco? —pregunta la madre de Guille.

—Mirad, Marco va con dos personas tapadas con una manta. Un policía los acompaña —dice Martín.

—Y hay una persona herida, ¿no? —pregunta Laura.

—Sí, la llevan en una camilla[2] —dice el padre de Guille.

—¡Es Freddy Krüeger! —exclama Martín.

—¡Qué noche! —dice Sergio— Y nosotros que solo queríamos celebrar la victoria del *Barça*...

—¿Pero dónde están Guille y Mónica? —insiste la madre de Guille.

—Seguro que Guille está en el restaurante comiendo —dice Laura, riendo— ¿Lo llamo?

—¡Ay, este Guille! Cuando le expliquemos esto, no se lo va a creer —comenta el padre.

Pero la madre de Guille se ha adelantado unos pasos y se ha quedado inmóvil mirando hacia Marco y sus acompañantes.

—Pero... pero... esos pantalones... esos zapatos... yo creo que esa persona tapada con la manta es... ¡Guille! ¡Ay, Dios mío! ¡Guille!

---

1 **¡Qué fuerte!:** coloquial, expresión con la que se indica que algo causa una gran impresión por algo bueno o por algo malo.

2 **camilla:** cama estrecha y portátil que sirve para trasladar a personas enfermas, heridas o muertas.

Marco está hablando con Mónica y Guille.

—Ya está, ya está, ya ha pasado todo —dice Marco tranquilizando a Mónica.

—Pero, ¿quiénes son esos hombres? —pregunta la chica. Ahora está más tranquila.

—Bel es un criminal peligroso. Ha creado un grupo con gente conflictiva que ha encontrado en internet. Hay algunos que están muy mal, que también son peligrosos. Danés, por ejemplo, sin estudios ni dinero, se ha convertido en un *hacker* importante. Ha conseguido entrar en el ordenador de un importante financiero alemán, Sebastian Mahler–Smid. Ha descubierto que tenía una cita amorosa aquí, en el Tibidabo. Podía leer todos sus correos. Y Bel ha tenido la idea de asesinarlo y grabar el asesinato para venderlo a una cadena de televisión: un turista graba casualmente el asesinato de un alto financiero. Además Sebastian Mahler–Smid tenía muchos enemigos. Y estaba envuelto en muchos escándalos.

—¿Y qué llevaban en la bolsa de deporte? —pregunta Guille señalando la bolsa verde que ahora tiene Marco.

—Esto es lo peor. Bel tiene una mente retorcida³: en la bolsa hay una pistola y una navaja, y documentos que me acusan a mí del asesinato.

—¿Te acusan a ti?

—Los documentos sí, porque muestran que yo he preparado y he ejecutado el asesinato.

—¡Qué malvados!

—Pero, cuando los has descubierto —pregunta Guille—, ¿por qué no han huido?

—Ya ves, Guille. Bel está muy mal. No se ha resignado⁴ a irse sin grabar un asesinato.

—Y al vernos, pensó en nosotros, que estábamos hablando contigo —deduce Mónica.

---

3 **retorcida:** aquí, que tiene intenciones y sentimientos poco claros y maliciosos.
4 **resignarse:** conformarse, aceptar algo sin protestar.

—Así es. Y pensó que les sería fácil escaparse, pero no contaba con vuestra resistencia...

—¡Eh, Guille, Guille...! —se oye una voz que llama al chico.

—¡Papá!

—¿Estás bien, hijo? Tu madre, al ver que salíais tapados con una manta del tunel del terror, casi se muere... —dice el padre de Guille.

—¡Mónica, Guille! ¿Qué ha pasado?

Laura, Sergio y Martín se acercan a ellos.

—Hemos vivido una aventura de miedo... —empieza Guille.

—...en el Hotel Krüeger —acaba Mónica.

—¿Sí? ¿Estáis bien? Contadnos toda la historia —dice Laura—. ¿Qué ha pasado?

—Guille tenía razón —explica Mónica—. Esos hombres eran peligrosos. Pero ahora están arrestados. Todo está bien.

—¡Y han intentado matarnos! —dice Guille—. ¡Pero no han podido! —añade orgulloso.

—¡Esto hay que celebrarlo! —dice Martín.

Marco, que está hablando con otros agentes, se acerca al grupo.

—¿He oído algo de celebración? —pregunta.

—Sí, vamos a celebrar que ha ganado el *Barça* —contesta Martín.

—¡Y que estamos vivos! —añade Mónica.

—Pues, creo que esta celebración corre de mi cuenta⁵ —dice Marco.

A Mónica se le ilumina la cara con una sonrisa.

---

5 corre de mi cuenta: lo pago yo, invito.

¿Quieres leer más?